Colores

Program Authors
George M. Blanco
G. Yvonne Pérez

Richard L. Allington
Camille L.Z. Blachowicz
Ronald L. Cramer
Patricia M. Cunningham
Constance Frazier Robinson
Sam Leaton Sebesta
Richard G. Smith
Robert J. Tierney

Instructional Consultant
John C. Manning

Program Consultants
Arminda Chávez
Patricia Martínez-Miller
Rodolfo S. Mendoza
Flora Rodríguez-Brown

Literature Consultant
Carmen García Moreno

Critic Readers
Rosario L. Salinas
Elba María Stell
Hilda Soto Stickney

Scott, Foresman and Company

Editorial Offices:
Glenview, Illinois

Regional Offices:
Sunnyvale, California
Tucker, Georgia
Glenview, Illinois
Oakland, New Jersey
Dallas, Texas

Acknowledgments

Text
Adivinanzas from *Naranja dulce, limón partido* by Mercedes Díaz Roig y María Teresa Miaja.
Copyright © 1979. El Colegio de México. Reprinted by permission.
"Agua azul, amarilla, blanca" from *Poesía* by Elas Tió.
Copyright © 1978. Elsa Tió. Reprinted by permission.

Artists
Bert Dodson, 5-9; Kees de Kiefte, 10-11; Lydia Halverson, 12-17;
Patti Boyd, 18-23; Slug Signorino, 24-25; Ann Iosa, 26-31;
Marlene Ekman, 32-37; Susan Lexa, 38-43; Paul Harvey,
44-49; Diana Magnuson, 56-63; Diane Jaquith, 64

Photographs
Pages 50-51: John Bardsley; Pages 52-53: W. Marc Bersau;
Page 54: PAR NYC; Page 55: Grant Heilman

Cover Artist
Rodica Prato

ISBN: 0-673-74153-2

345678910—VHJ—969594939291908988

Contenido

El arco iris

Luis y su abuelito están en la casa.

La lluvia se va y sale el sol.

El cielo se ve de un lindo azul.

A Luis le gusta el cielo azul.

Luis y su abuelito salen a caminar.

Luis y su abuelito van a la milpa.
La lluvia mojó el camino.
La lluvia mojó la milpa.
Ahora, el sol está en el cielo.
El cielo está azul.
A Luis y al abuelito les gusta
la luz del sol.

—¿Qué son esas luces de colores en el cielo, abuelito? —dice Luis.

El abuelito mira el cielo.

—No son luces —contesta el abuelito—.
Es un arco iris.
El arco iris tiene muchos colores.

—Vamos a la casa —dice el abuelito—.
Vamos a hacer un arco iris con luz
y un cristal.

—¿Con luz y un cristal? —dice Luis.

—Sí, Luis, con luz y un cristal
—contesta el abuelito.

En la casa el abuelito toma
el cristal y dice:
—Luis, pon el cristal a la luz.
Ahora mira la luz que pasa por
el cristal.

—¡Abuelito, un arco iris!
¡Qué lindos colores tiene el
arco iris! —dice Luis.

Veamos lo que sigue

El mural

Tita está en su casa con sus amigas.

El viento sopla fuera.

Carmen, Sara y Nancy son amigas de Tita.

Tita y sus amigas no saben a qué jugar.

—¿Hacemos un mural? —dice Carmen.

—Sí, vamos a hacer un mural —dice Tita—.
¡Vamos a hacer un mural con árboles!

—Sí, que cada una pinte un árbol.
Después hacemos un mural grande con todos los árboles —dice Nancy.

Mientras Nancy busca las brochas, Tita busca los tarros de pinturas.
Carmen y Sara buscan papeles para pintar.
Después, con las brochas, las niñas mezclan las pinturas de unos tarros.
La mamá de Tita les da más brochas para mezclar y pintar.

Después, cada niña pinta un árbol
grande con su brocha.
Pintan árboles en sus papeles.
Mientras todas pintan con las brochas,
la mamá de Tita pone un papel
grande en la pared.
Ese papel es para el mural.
Nancy y Sara mezclan más pinturas.

Mientras Tita y Carmen pintan otros árboles para el mural, Nancy mezcla pinturas en un tarro.

—El tarro de pintura verde se acabó —dice Carmen, mientras se lo enseña a todas—.
Necesitamos otro tarro de pintura.

Tita y Carmen mezclan colores en
un tarro.
Mezclan pintura azul con
pintura amarilla.
Hacen más pintura verde.
Después, cada niña pinta otro árbol.
Pegan todos los árboles en
el papel grande.
¡Ahora el mural grande está listo!

Veamos todo a colores

¿Te gustaría verlo todo a colores?

Necesitas papel duro.

Necesitas unas tijeras.

Necesitas papeles transparentes de colores.

Necesitas pegadura.

Esta lectura te enseñará cómo hacer
tus lentes de colores.

Después le puedes enseñar a un amigo
o una amiga.

Se dibujan los marcos en el papel duro.

Después, se cortan los marcos con las tijeras.

Tu amigo o amiga puede cortar los pedazos de papel transparente.

Después de cortar los pedazos de papel transparente, pégalos a los marcos con pegadura.

Este dibujo te enseña cómo puedes hacerlo.

Ahora, ajusta los lentes.

Después, ponte tus lentes y mira por la ventana.

Si tus lentes son de papel transparente azul, lo vas a ver todo de azul.

Si tus lentes son de papel transparente
rojo, lo vas a ver todo de rojo.
Puedes enseñarle tus lentes a tu amigo.
Mientras miras con los lentes de tu
amigo, él puede mirar con tus lentes.
¡A ver qué color les gusta más!

Debe ser leído por el maestro

A ver, ¿qué es?

Azulitos van,
Azulitos vienen;
mis ojos lloran,
pesar no tienen.

¿Qué es?

En el campo me crié
llenita de verdes brazos,
y tú que lloras por mí
me estás haciendo pedazos.

¿Qué es?

El humo. La cebolla.

Blanca como la nieve,
negra como la pez;
habla y no tiene lengua,
corre y no tiene pies.

¿Qué es?

Colorín colorado,
chiquito, pero bravo.

¿Qué es?

La carta. El chile.

¡Vamos a ponerle la cola al burro!

Kara y Ben están en su casa.
Sus amigos Julio y Walter están con ellos.
En la casa tienen lápices de colores y papel para dibujar.
Primero todos van a colorear.

Kara, Ben, Julio y Walter colorean.
Colorean el dibujo de un burro.
¡Es un lindo burro de papel!
Kara y Walter quieren acabar de
colorear el burro.
Todos colorean y colorean para acabar.

Ellos acaban el dibujo del burro.

—¡Ahora vamos a jugar a ponerle la cola al burro! —dicen todos.

Primero tienen que cortar las colas.
¿Quién va a cortar las colas?
Y después, ¿quién las va a colorear?

—Yo quiero cortar las colas de papel para el burro —dice Walter.

—Debes darnos una cola a cada uno —dice Kara.

Cada niño colorea una cola de papel para ponérsela al burro.

¿Quién va a acabar primero?
Kara es la primera en acabar.
Cada cola es de un color.
Una es azul y otra es amarilla.
Otra cola es verde y otra es roja.
Después, los niños salen al jardín.

La mamá de Kara le tapa los ojos
a cada niño.
¿Quién va a ponerle la cola al burro?
¿Quién va primero?

Después que todos le ponen la cola
al burro, la mamá de Kara dice:
—¡Walter ganó!

Lola, la araña

Lola la araña está muy triste.
La lluvia y el viento se llevaron
su telaraña.

"Ya sé", dice la araña.
"Voy a hacer otra casa más fuerte".

Lola piensa en dónde vivir.
Está muy triste.
La araña va a tejer otra telaraña.
Va a tejer una telaraña muy fuerte.
Si su telaraña es fuerte, el viento y
la lluvia no se la llevarán.

Sus amigos los pájaros y las mariposas
la ven muy triste y le dicen:
—¿Por qué estás triste, Lola?

—La lluvia y el viento se llevaron
mi casa.
No tengo dónde vivir —contesta la araña,
muy triste.

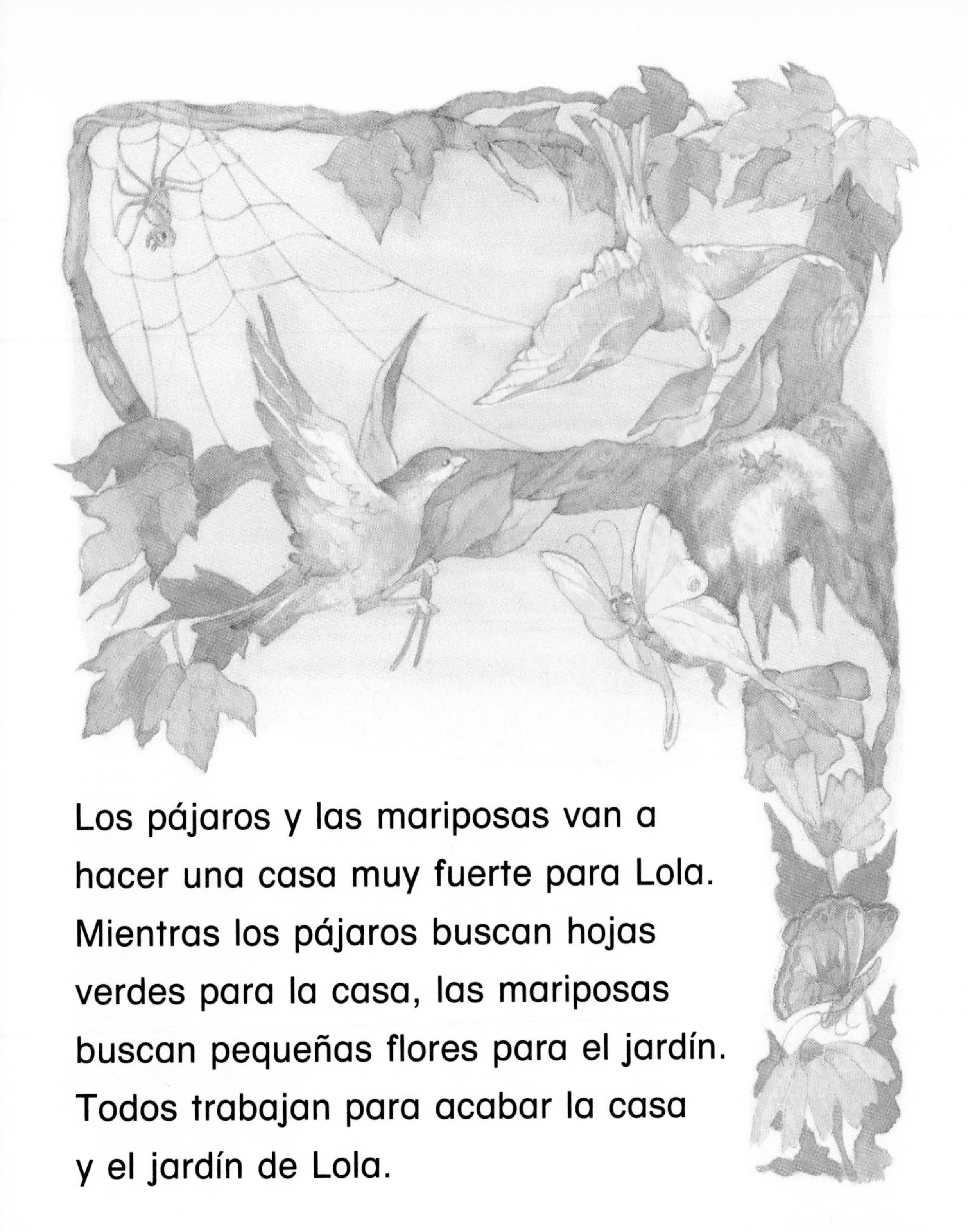

Los pájaros y las mariposas van a hacer una casa muy fuerte para Lola. Mientras los pájaros buscan hojas verdes para la casa, las mariposas buscan pequeñas flores para el jardín. Todos trabajan para acabar la casa y el jardín de Lola.

Mientras la araña teje y teje su telaraña, los pájaros le hacen una casa más fuerte.
Después, las mariposas ponen las flores en el jardín.
La araña ya no está triste.
Todos sus amigos la ayudan.

Mientras la araña teje y teje, los pájaros y las mariposas acaban la casa.
Es una casa de hojas verdes.
Los pájaros y las mariposas están felices.
¡Si la lluvia y el viento se llevan la fuerte telaraña, Lola tiene su otra casa!

Busca los colores

KN 2

Tina, la rana

Tina es una rana verde y pequeña.
A Tina y a sus amigas les gusta croar.
Les gusta jugar en las piedras del río.
Pero un día el río crece.
Las piedras del río ya no se ven.

Tina, la rana verde y pequeña, dice:
—Como las piedras del río ya no se ven, vamos a la orilla a jugar.

Tina la rana y sus amigas se van a la orilla a jugar.
En la orilla hay árboles y flores.
En la orilla hay donde jugar.

En la orilla, Tina y las otras ranas
quieren jugar a las escondidas.
Pero Tina no sabe dónde esconderse.

"Ya sé dónde esconderme", dice Tina.
"Voy a esconderme cerca de esa hoja
verde para que no me encuentren.
¡No quiero que mis amigas
me encuentren!"

Como Tina no quiere que la encuentren,
ella se esconde cerca de una hoja
muy verde.
Pero Tina se cansa de estar escondida,
y ahora quiere croar.
Mientras está escondida, Tina croa.
Tina la rana croa feliz.

Pero como Tina croa, las otras ranas
la encuentran.
Tina ya no quiere jugar más.

—Ese juego no me gusta —dice Tina,
mientras sale de donde se escondió—.
¡Si me pongo a croar, todas las ranas
me encuentran!

Todas las ranas se ponen a croar.

Mientras todas croan felices en la orilla, Tina ve que el río ya no crece.
Tina dice:
—¡Miren!
¡Las piedras del río ya se ven!

Y todas las ranas saltan al río y se ponen a saltar y a jugar.

Las manzanas

¿Si piensas en una manzana, piensas
en una manzana roja?
Muchos niños piensan como tú, pero
no todas las manzanas son rojas.
Hay manzanas rojas, verdes y amarillas.

Dentro de las manzanas se encuentran
las semillas de la fruta.
Las semillas que se encuentran dentro
de la fruta son de color café.
De esas semillas sale el manzano, el
árbol de la manzana.

La manzana es la fruta del manzano.
El manzano crece como los demás árboles.
Al crecer, sus ramas son color café y sus hojas son verdes.
El manzano tiene lindas flores blancas o color de rosa.
¡Qué lindas flores blancas y rosas!

El manzano con muchas flores se ve muy lindo.

¡Qué lindos se ven los manzanos con sus flores color de rosa!

Pero, ¿qué piensas tú?
¿Son más lindos los manzanos con flores blancas?

Las manzanas salen de las flores
blancas y rosas del manzano.
Antes de crecer, las manzanas que
salen de las flores son muy pequeñas.
Son pequeñas frutas verdes por dentro
y por fuera.
Pero las manzanas van a crecer.

Día a día, las pequeñas frutas crecen. Después de que hayan crecido, las manzanas pueden ser rojas o verdes o amarillas.

El manzano tiene muchos colores. Tiene flores blancas o color de rosa. Tiene manzanas verdes o rojas o amarillas.

El pavo real vanidoso

adaptada de la fábula de Esopo "El pavo real y Juno"

Una vez, todos los pájaros tenían las plumas del mismo color y su canto era el mismo.
Y así, todos los pájaros vivían muy felices.

Pero un día el águila, el más fuerte de los pájaros, le dijo a cada uno de ellos:
—¿Cómo te gustaría ser?

Cada pájaro escogió un lindo color y un lindo canto, y el águila le dio lo que quería.

Pero el pavo real quería plumas muy lindas y le dijo a su esposa:

—Le voy a pedir al águila los más lindos colores para mis plumas. Quiero las plumas más lindas para mí. Quiero ser el pájaro más lindo.

Mientras él hablaba, su esposa escuchaba.

Ella le dijo:

—Es feo, muy feo, pedir lo más lindo para uno mismo.

Yo ya soy feliz con las plumas que el águila me va a dar y no quiero otras.

La esposa del pavo real ya era feliz.

Pero el vanidoso pavo real no escuchó a su esposa.
Él le dijo al águila que quería los colores más lindos para sus plumas.

—Quiero —le dijo el pavo real al águila— las plumas más lindas y los colores más lindos.

El águila le dio al pavo real
las plumas más lindas.
Pero el águila le dio al pavo real el
canto más feo por ser tan vanidoso.
Le dio un canto tan feo que los otros
pájaros no lo querían escuchar.

La esposa del pavo real, como ya era muy feliz con las plumas que el águila le dio, no quería otras plumas más lindas.

—Mis plumas color café no son feas —dijo la esposa del pavo real—. Yo ya soy feliz como soy.

Así vemos por qué el vanidoso pavo real tiene plumas de muchos y lindos colores. Vemos por qué sus plumas son las más lindas de todos los pájaros.
Vemos por qué su esposa no tiene los mismos lindos colores que él.

Debe ser leído por el maestro

Agua azul, amarilla, blanca

de Elsa Tió

Agua azul, amarilla, blanca
rosada y verde.
Y negra el agua de la noche.
El agua lila es del atardecer.
El agua azul es del fondo del mar.
¡La lluvia vuela
sobre las alas de las mariposas!

Recordemos

Debe ser leído por el maestro

Pensemos en la sección

¡Qué lindos son los colores!

1. ¿Cómo hacen pintura verde Tita y sus amigas?

2. ¿Qué pasa si miras las cosas con lentes de papel transparente azul?

3. ¿De dónde salen las manzanas?

4. ¿Cómo eran las plumas del pavo real vanidoso?

Libros para leer

Respuestas fáciles a
preguntas difíciles
de Susan Kirtland

Lee este libro para saber por qué
el cielo es azul y por qué vemos
el arco iris.

Una sorpresa para tus ojos
de Caryl Koelling

En este libro encuentras los colores
de las cosas que vemos todos los días.

Don Escarabajo tiene un color
de Laura Thorkelsen

En este libro encuentras flores de
muchos colores.

Maneras de hacer la tarea

1. Haz un dibujo.

2. Traza la letra.

3. Escribe la letra.

4. Haz una línea debajo de la palabra.

5. Pon un círculo alrededor de la palabra.

6. Escribe la palabra.

7. Pon un círculo alrededor del dibujo.

8. Pon una X en el cuadrito.

9. Sombrea el círculo.

10. Usa una máquina de escribir.

11. Usa una computadora.

12. Usa una grabadora.

Lista de palabras

Preparémonos a leer

Unidad 1

Unidad 2

Unidad 3

Unidad 4